Ch-Chwyrnu!

Cyhoeddwyd gyntaf yn Saesneg 1998
gan HarperCollins Publishers Ltd
dan y teitl *Snore!*
Testun hawlfraint © Michael Rosen, 1998
Lluniau hawlfraint © Jonothan Langley, 1998
Y cyhoeddiad Cymraeg © 1999Dref Wen Cyf.
Yr argraffiad hwn © 2003 Dref Wen Cyf.

Mae Michael Rosen a Jonathan Langley wedi datgan eu hawl moesol i gael eu hadnabod
y naill fel awdur a'r llall fel arlunydd y gwaith hwn yn unol â
Deddf Hawlfraint, Dyluniadau a Phatentau 1988.

Cyhoeddwyd yn Gymraeg 2003 gan Wasg y Dref Wen,
28 Ffordd yr Eglwys, Yr Eglwys Newydd,
Caerdydd CF14 2EA
Ffôn 029 20617860.

Argraffwyd yn Singapore

Ch-Chwyrnu!

Michael Rosen

lluniau gan Jonathan Langley

trosiad gan Gwynne Williams

DREF WEN

Roedd popeth yn dawel ar y fferm.

Roedd y Ci'n cysgu. Roedd y Gath yn cysgu.

Roedd y Fuwch yn cysgu.

Roedd y Ddafad yn cysgu.

Roedd y Mochyn yn cysgu,

ac roedd y Moch Bach i gyd yn cysgu.

Roedd popeth mor dawel nes –

ChChCh!

Chwyrnodd y Ci.

Deffrôdd y Gath.

Deffrôdd y Fuwch.

Deffrôdd y Ddafad.

Deffrôdd y Mochyn a'r Moch Bach i gyd.

Chwyrnodd y Ci eto. Doedd neb yn gallu cysgu, ddim y Gath, na'r Fuwch, na'r Ddafad, na'r Mochyn, na'r Moch Bach i gyd.

Sut ydyn ni'n gallu cael y Ci i beidio â chwyrnu er mwyn i ni gael mynd yn ôl i gysgu? meddai'r Gath.

Dw i'n gwybod, meddai'r Fuwch, ac fe
aeth y Fuwch at y Ci a
THISIAN
yn syth i lawr ei glust.

ch ch ch!

Dw i'n gwybod, meddai'r Ddafad, ac fe aeth y Ddafad at y Ci a gwaeddodd

BŴŴ

yn syth i lawr ei glust.

chchch!

Dw i'n gwybod, meddai'r Mochyn, ac fe aeth y Mochyn at y Ci a gwaeddodd **HI HI** yn syth i lawr ei glust, ac meddai'r Moch Bach i gyd **HI HI HI HI HI HI**.

chchch!

Dw i'n gwybod, meddai'r Gath.

Beth am i ni ganu iddo fo?

Fallai bydd hynny'n stopio ei chwyrnu ac fe allwn ni i gyd fynd yn ôl i gysgu.

Felly fe ganodd

y Gath

MIAW.

chchch!

Fe ganodd y Fuwch

MŴŴ.

chchch!

Fe ganodd y Ddafad

BAA.

chchch!

Ac fe ganodd y Mochyn **RHOCH** ac
fe ganodd y Moch Bach i gyd
SOCH SOCH SOCH SOCH.

Yna fe gododd yr haul dros y coed ac fe ddeffrôdd y Ceiliog ac fe ganodd

COC-Y-DWDL-DWWWW,

ac fe ddeffrôdd y Ci

a dweud

HERYMFF???

Ac i ffwrdd â fo i lawr y ffordd
ar ôl noson braf o gwsg.

Ond roedd y Gath a'r Fuwch a'r Ddafad
a'r Mochyn a'r Moch Bach i gyd wedi
blino'n lân … ac fe syrthion nhw i gysgu.

chchch!

chchch!